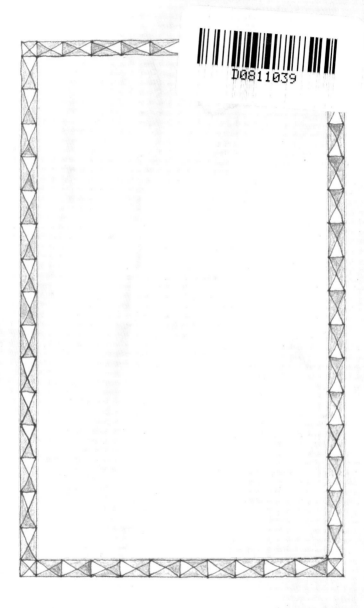

ISBN 90338 81438
HET KINDJE IN DE STAL
© 1994 Vereeniging tot Verspreiding der Heilige Schrift/
Bijbel Kiosk Vereniging, Donauweg 4, 1043 AJ Amsterdam.
Geschreven door: Marjorie Newman.
Geïllustreerd door: Edgar Hodges.
Vertaald en bewerkt door: Marijke Bleij.
Original edition published in English under the title
„Little Owl Bible Stories" by World International Publishing Ltd.
Copyright © 1990 World International Publishing Ltd.,
Manchester, England.

Het kindje in de stal

Marjorie Newman

Geïllustreerd door
Edgar Hodges

ARK BOEKEN

Heel lang geleden woonde er in het land van de Bijbel een ezeltje.
Dat ezeltje heette Josja. De baas van Josja heette Jozef; hij was timmerman.
Jozef hield veel van zijn ezeltje, maar hij hield nog veel meer van Maria, met wie hij trouwen ging.

Op een dag zag Josja dat er in het huisje van
Maria een helder licht scheen.
Hij hoorde een engel tegen Maria zeggen: „Maria,
je zult een heel bijzondere baby krijgen. Je moet
het kindje Jezus noemen; hij zal Gods eigen Zoon
zijn."

Josja was erg blij. Hij dacht: „Kon ik maar praten,
dan kon ik Jozef zeggen, wat ik heb gehoord."
Maar God stuurde ook een engel naar Jozef om
hem het grote nieuws te vertellen.
Er waren een heleboel dingen in orde te maken
voor de baby.
Josja keek toe, terwijl Jozef een prachtig bedje
timmerde.

Op een dag hoorde het ezeltje dat Jozef tegen
Maria zei: „De keizer heeft een nieuwe wet
gemaakt; iedereen moet naar het dorp of de stad
gaan waar hij geboren is, om geteld te worden.
Wij moeten dus naar Betlehem."

„Maar de baby zal al gauw geboren worden," zei Maria. „Het is zo'n verre reis; ik zou liever thuisblijven."

„We hebben Josja toch," zei Jozef en hij aaide het ezeltje over zijn kop. „Die zal je dragen."

Ze pakten wat spulletjes en eten in voor onderweg.

Toen begonnen ze aan de lange reis.

Josja was trots dat hij Maria mocht dragen.

Klip..., klep..., klip..., klep... deden zijn hoefjes terwijl hij zijn pootjes zo voorzichtig mogelijk neerzette. Uren en uren liepen ze.

Josja zag dat Jozef ongerust naar Maria keek. Hij zei: „We zijn er bijna, Maria. Je kunt nu gauw uitrusten."

Eindelijk kwamen ze in Betlehem aan.
Het ezeltje was zo moe, dat hij bijna geen pootje
meer kon verzetten.
Jozef klopte aan bij een herberg.
De herbergier kwam naar buiten.
„Het spijt me," zei hij. „Ik heb geen kamer meer vrij.
Er zijn zoveel mensen naar Betlehem gekomen."
„Maar mijn vrouw is erg moe," zei Jozef.
De herbergier keek naar Maria. Hij kreeg medelijden
met haar.
„Ik heb een stal; daar staan mijn dieren. Daar mogen
jullie wel een plekje zoeken. Het ezeltje kan daar ook
wel slapen."
„Dank u wel," zei Jozef.
En het ezeltje was blij. Hij vond het fijn, dat hij
bij Jozef en Maria
mocht blijven.

In de stal maakte Jozef een droog, warm plekje voor
Maria om uit te rusten.
Daarna pakte hij een voerbak voor Josja en deed
daar wat hooi in.
„Ia!" zei Josja.
Hij had best honger gekregen na zo'n lange tocht.
En daar, in de stal, werd die nacht het Kindje
geboren.
Voorzichtig wikkelde Maria Hem in zachte doeken.
Jozef nam Josja's voerbak en deed er schoon hooi in.
Trots keek het ezeltje toe, hoe Jozef de kleine Jezus
op het warme hooi legde.

Die nacht waren er in Betlehem nog meer
mensen wakker. Dat waren de herders.
Zij zaten in het veld en pasten op de schaapjes,
die rustig lagen te slapen.
Maar opeens werd de donkere hemel heel licht.

Geschrokken sloegen de herders de handen voor
hun ogen.
Toen hoorden ze de stem van een engel: „Schrik
niet! Ik kom jullie een blij bericht brengen. In Betlehem is een heel bijzondere baby geboren; het is
de Zoon van God. Hij ligt in een stal, in een kribje."
Daarna kwamen er nog veel meer engelen.
Ze zongen een lied ter ere van God.

Toen gingen de engelen terug naar de hemel; het werd weer stil en donker.

Maar de herders sprongen op. Ze riepen: „Hoorden jullie wat de engelen zeiden? Laten we dat bijzondere Kindje gaan zoeken!"

En ze liepen zo snel ze konden naar Betlehem.

Toen ze bij de stal kwamen, deden ze zachtjes de deur open en keken om het hoekje. Ze zagen Maria, Jozef en het kleine Kindje. Eerbiedig kwamen ze dichterbij.

„Hoe weten jullie dat hier een baby geboren is?" vroeg Jozef.

De herders vertelden wat ze gezien en gehoord hadden. Vol bewondering keken ze naar Jezus en ze aaiden Hem over zijn bolletje.

De herders gingen terug naar hun schapen.
Omdat het Kindje nog te klein was om te reizen,
zocht de herbergier voor Maria en Jozef een
beter plekje om te logeren.
Josja moest zolang in de stal bij de andere dieren
blijven.

In een heel ver land woonden drie geleerde mannen.
Iedere nacht bestudeerden ze de sterren.
Op een nacht zagen ze een schitterende ster aan de hemel staan. In hun boeken lazen ze dat die ster hen naar een Kindje zou brengen, dat later Koning zou worden. Gauw gingen ze op reis.

Ze kwamen bij het paleis van de koning.
Ze zeiden tegen elkaar: „Hier is de kleine koning
natuurlijk geboren."
Ze gingen naar binnen en maakten een diepe
buiging voor Herodes, de koning.
Ze vroegen of ze de baby mochten zien.

Koning Herodes schrok erg toen hij over de kleine koning hoorde.
Hij wilde zelf koning blijven. Hij riep zijn wijze mannen bij zich.
Zij keken in oude en dikke boeken en zeiden tegen Herodes: „In onze boeken staat dat die kleine koning in Betlehem wordt geboren."
Dus reisden de drie wijze mannen weer verder.

Op een avond stond Josja in de stal wat te
dommelen, toen hij opeens wakker schrok.
Hij zag drie kamelen aankomen.
Op die kamelen zaten deftige mannen; ze hadden
prachtige mantels aan.

De kamelen bleven staan bij het huis van Maria
en Jozef.
De mannen stapten af en gingen naar binnen.
De kamelen mochten zolang bij Josja in de stal
staan.

De wijze mannen knielden voor Jezus neer.
Ze gaven Hem kostbare geschenken: mirre,
wierook en goud.
Daarna keerden ze terug naar hun land.
Die nacht zei God in een droom tegen Jozef dat
hij met Maria en de kleine Jezus weg moest gaan
uit Betlehem.

Koning Herodes wilde niet dat er een nieuwe
koning kwam. Hij zou zeker proberen om Jezus te
vinden.
De volgende ochtend haalde Jozef Josja uit de
stal.
Hij zette Maria met de kleine Jezus op de rug van
het ezeltje; zo vluchtten ze helemaal naar Egypte.

Pas toen koning Herodes gestorven was, konden Jozef en Maria veilig naar huis terugkeren.
Wat was Josja blij, toen hij weer terug was in zijn eigen, oude stal.

Hij hield van zijn baas.
Hij hield van Maria.
Maar zijn beste vriendje werd de kleine Jezus.

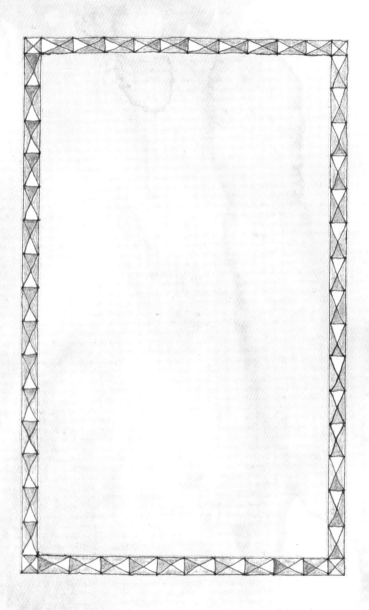